Collection Scalène

DIRIGÉE PAR ROGER DEXTRE

IN MEDIA VITA

HENRI MALDINEY

In Media Vita

Éditions Comp'Act
COLLECTION SCALÈNE

Vignette de
PATRICK COLSON

© Henri Maldiney et Comp'Act
TOUS DROITS RÉSERVÉS, 1988.

CHEMIN DES DAMES

1940 juin

Ici le jour est plus grand que la terre l'attente plus longue que la vie. Viendra la nuit. Une heure. La nuit là-bas déchirée par les éclairs des départs – et brusquement ici ce buisson de pas sourds qui grandit sans approche, et les voix hâtives du ravitaillement aussitôt qu'arrivées reparties...
de l'orée du bois vers la crête.

Les grandes pierres blanches de la Creute sont prêtes pour un monument funéraire où s'ensevelira une armée sans pays.

Désert de l'espace. Il n'y a personne. Nous sommes dans le pays de personne n'ayant rien à défendre que la ligne imaginaire et combien réelle du viol de ce pays...

ou simplement d'un paysage retournant vers l'origine?

Désert du temps. Sans passé. Sans avenir. Dans un si long présent qui dure et se souvient et s'anticipe lui-même sans autre projet que d'être. De quel côté perceront les grands desseins qui nous font signe depuis les astres? Derrière nous quel désespoir grandiose nous aura soudain secourus? levée en masse des corps et des âmes. Ou devant nous le Destin qui nous ignore? l'infinie négativité dans l'universalité de cette histoire que nous ne rencontrerons jamais.

Bien sûr c'est lui qui décidera. Et non pas l'arrière qui ne vit que de compter sur le néant où il nous jette, retranché du partage, complice du Destin.

Vaincus Vainqueurs provisoires nous voilà le long des sapes, sans barbelés, dans les bois des anciens obus éclatés ou non d'une autre guerre, regardant s'abaisser devant nous, entre des cimes d'arbres, des fragments de prairie où les vaches non traites meuglaient le soir.

Et partout cette déréliction d'enfants perdus. Points d'appui, disaient-ils. Appuyant qui sur quoi? Etranges oasis de sable au milieu de la forêt verte qui nous dévorera.

5 et 6 juin

Il y a trente ans ce matin je m'éveillai dans une grotte au milieu de la forêt en riant. Avais-je aperçu le serpent de Zarathoustra lové dans mes chaussures que je cherchais dans l'ombre? Non. Ce n'était pas le grand rire de Dionysos. C'était pourtant quelque chose comme un grand dégel dans l'aurore glacée d'acier qui réveillait successivement tous les étages de la pente sous le barrage roulant qui montait vers nous. Notre fou rire plus qu'amer – le mépris épuisant le fond de l'amertume – n'était pas une vengeance contre le temps où nous ne serions plus, mais un déni, un refus de reconnaître dans ce qui arrivait quelque chose qui était et qui nous forçait d'être. A la première minute de l'attaque nous avions renvoyé toute cette affaire à l'insignifiant. Peut-être ne serions-nous plus bientôt que, pas même un signe : un monstre privé du sens, fait de chair vive ou morte. Nous étions sans souffrance mais nous n'avons pas laissé la parole à l'Etranger; nous ne lui avons pas même adressé la parole mais dressé contre lui le mur de nos rires, lui refusant rançon de son injustice. Hommes de chair dans un trou de craie attendant non pas le Oui ou le Non, mais ce que nous serions dans l'instant qui les sépare. Et pourtant... quelques mètres plus haut, arrivés dans la nuit, trois hommes, ayant eu à peine le temps de s'enterrer parce qu'ils étaient las, étaient morts, de leur lassitude peut-être, mais bien plus de la terre qui ne les connaissait pas et les laissa sans sépulture.

Que furent ces deux journées du 5 et du 6 ? Comme les autres, éclatantes de lumière, et d'exil, dans l'éclat des obus et la hargne des balles. Au matin du second jour, du côté de la Royère, un clairon sonna le cessez-le-feu derrière le Chemin des Dames. La ligne était franchie. Et des soldats allemands faisaient tourner un drapeau dans le soleil pour dire que la guerre était finie. Nos mitrailleuses les ont couchés par terre. Combien étaient morts? Combien blessés? Un? Deux? Trois? Je ne sais plus. C'est si loin. Ce fut toujours si loin. Entre la mort et la vie; et toujours sous le ciel trop pur cette infranchissable distance où l'on marche à travers soi-même dans une autre absence... de soi. Un homme est venu nous dire qu'un blessé avait soif. Il a emporté pour lui mon dernier quart de vin.

Dans la forêt, l'ennemi progressait en battues lentes enserrant nos points d'appui d'un invisible réseau, dont nous devinions quelques points d'entrecroisement aux rafales tirées des arbres.

Le plus étrange ce fut en fin d'après-midi quand je vis, surgis de rien dans le proche absolu d'une arête verte, bondir l'un après l'autre et d'un coup tous réels, des attaquants obliques qui ne nous voyaient pas et marchaient dans le ciel sur la cime des arbres.

Quelles arêtes du temps n'avons-nous pas suivies ce jour-là comme la veille, plus que les autres jours si long, si vaste, si vide, que rien n'y pouvait être que perdu ! C'était une sorte d'espace nu, mathématique, dont la matière n'aurait pas changé la courbure. Il n'y avait pas d'événements, il n'y avait personne à qui – sauf la mort – quelque chose pût arriver. Il n'y avait que des incidents ponctuels pris au piège de l'espace sans lien de lieu en lieu ni d'instant en instant, sauf d'une heure à l'autre la marche sur place du Destin moins pressenti que manifeste dans le grand vide de l'âme et de l'enclos du ciel, dans l'indifférence absolue des signes séparés.

Quand sur le glacis d'un champ de betteraves je voyais à la poussière soulevée que le tir se réglait sur moi j'étais concerné d'une manière aussi neutre que par l'éclatement des trois obus sur la ligne desquels je faillis arriver bien plus qu'ils n'arrivaient sur moi.

Du P.C. de l'arbre où l'une après l'autre les sections se repliaient, les dernières dans la nuit, nous partîmes vers le Sud en longeant des murs de ferme et des incendies. Et nous nous hâtions vers l'aurore parce que le pont de Vailly devait sauter au petit matin.

Mais, franchis le canal et l'Aisne, nous avions derrière nous la terre abandonnée dans la même clarté sur laquelle nous avions perdu nos droits, et, de l'exil, plus proche que le sol sous nos pas, tant les lointains nous assiègent. Et j'éprouvais là-bas, du côté de Folemprise, le délaissement de ceux qui, restés en arrière, se trouvaient tout à coup sous le même soleil exposés de partout dans un nouveau matin, qui les excluait de l'amitié de la terre là où avait été la patrie.

Et l'angoisse était de les savoir seuls encerclés par l'Innombrable maître de l'horizon qui s'avançait par toute la terre avec une claivoyance d'assassin aveugle. Et toujours le soleil.

Retraite

L'impitoyable pureté du ciel met à nu toute la terre dans le regard du jour. Sans secret, sans abri, le sol nous expose – dans la chair de nos corps livrée à la lumière et aux anges. Nous voici devenus ce que nous étions : squelettes. Et nous nous survivons de ces temps plus anciens où d'autres qui sont morts restent guetteurs du vide qui déjà monte du fond de nos orbites à déborder le temps.

Clochers déjà d'été au-dessus du printemps des jardins, cessez d'être derrière nous des signes de patience pour ces jours qui sont si longs. Que la nuit demeure ou revienne et que succède à ce grand front lisse ébloui, aussi clair que la mort, le repos vers l'issue des fontaines désertes.

7 juin 1970

Le car monte entre les herbes. Vers le Sud – lentement – s'ouvre la grande main de la terre aux lourds doigts de forêts entre lesquels je regarde descendre au loin les champs. Sur ma droite diminue la hauteur de la pente, puis l'horizon s'échappe, nous ouvrant le plateau à pleins bords émergé du ciel, le long de cette frontière d'arbres où commence un autre monde.

Là-bas là-haut quelque chose de moi essaie de se soulever d'entre les années – à distance d'oubli mais vibrant encore la corde de l'arc depuis longtemps partie la flèche... partie où ? partie d'où ? C'est cela que je veux savoir.

Depuis trente ans qu'est-il advenu de ce lieu de mon passé, de ce passé où j'ai eu lieu et qui porte des noms qui montent de la terre ? Mais ils ne sont plus que des lieux communs d'un théâtre d'ombres en attente de personnages, ces noms auxquels s'accroche aujourd'hui ma quête – illustres et banals – vers qui nous montions déjà il y a trente ans dans les traces que nos pas déterraient d'une autre guerre.

Ces traces étaient aussi réelles que notre marche vers un front qui n'existerait pas à partir de nous, mais qui était déjà tracé dans la terre et dans l'histoire, dans la chair de l'histoire et de la terre, dont l'ancienne blessure allait se refermer sur nous car nous allions au rendez-vous des Mânes.

Et quoi d'autre aujourd'hui ?

★ ★ ★

En 1940 nous ne cherchions pas des signes, ils étaient là. Le fusil déterré de Ciry-Salsogne, les frises de barbelés dans le bois des Bovettes, les obus rouillés dans les troncs d'arbres, les bandes de mitrailleuses de la carrière d'Hammeret et des ossements d'hommes entre les aubépines. Nous reprenions une pièce que tous avaient vu jouer sur une scène sacrée que nous ne pouvions plus qu'abolir ou profaner. Qu'était notre présent, que voulait dire *ici* ? sous cet horizon fixe qui n'était plus incontournable. Même le grand vide du ciel était clos. Notre sens à venir déjà se profilait sur le mémorial des hommes d'autrefois dont la guerre de quatre ans avait fait des Immortels.

Immortels – comme les gardes du palais de

Suse consacrés à même le mur dans leur présence rituelle –, c'est eux qui avaient la garde éternelle à nous temporellement confiée des pentes boisées entre le chemin des Dames et le canal de l'Ailette.

C'est encore sur ce passé antérieur que s'aplatissent mes souvenirs – aujourd'hui. Et plus que la première fois, où nos gestes présents ne pouvaient s'extirper des ornières du passé, mes souvenirs ce matin se rabattent sur des souvenirs. Et non seulement les miens, ceux de tous. Les nôtres, subjectifs, sur d'autres plus anciens, d'une ancienneté sans date, et tellement objectifs dans les pierres et les noms et la langue de tous ceux qui parlent de la terre. De sorte que d'avance nous sommes désétablis de notre propre passé. Il n'est plus le passé du présent que je suis, décidant d'une histoire, mais l'absolu passé d'un autre âge du monde. Nous étions venus nous chercher nous-mêmes dans un temps aboli et abolis en lui nous touchons au néant. Cet instant qui fut nôtre, qui nous a mis un jour en demeure d'être, contraint à l'impossible, et de l'orient duquel comme d'un soleil éclaté nous attendions que nous arrive ce matin notre lumière, le voilà retombé dans l'immémorial de tous et de personne; et nous savons que notre ici présent et l'avenir de cette présence, qui ne se soutient plus que d'un dorénavant au sillage de nevermore, vont à leur tour égalant notre vie être rejoints par le passé des morts.

★ ★ ★

J'essaie maintenant d'y voir clair sous le soleil couchant de la Mélancolie. Pourquoi n'avons-nous rien retrouvé de nous-mêmes à partir de quoi nous puissions exister aujourd'hui ?

Ce peu d'espace que nous avions trouvé si grand à le défendre et que nous continuions à croire si grand parce que nous y étions seuls en mémoire de nous qui seuls pouvions mourir, ce peu d'espace perdu dans l'espace ressemble à notre peu de temps perdu au milieu du temps. Nous croyions y avoir risqué notre vie - nous n'y avons risqué que notre mort. Et notre vie courait le bien plus grand danger de n'être plus, plus tard, que l'imagination de son souvenir se donnant hors du monde l'infinitivité du temps des rêves.

Mais il y a autre chose plus vrai que ces calculs. Il y a le paysage. Il y a dans ce paysage la négation du Il y a: le vide. Il n'est guère maintenant plus peuplé qu'alors: Un homme apparu ici ou là à l'occasion des cérémonies, un autre à la limite de deux terres. Aussi seuls, uniques que le gardien allemand du cimetière de la Malmaison avec son visage impassible de rapace noble et, plus métallique que les tombes, son accent de Prusse orientale. Tous muséaux dans l'indifférence désertique de la vie. Et nous dans le musée de leur passé dépassé. Mais c'est nous qui voyons ainsi. Eux se souviennent. Comme nous. Et nous cherchons les uns et les autres – dans la rencontre de deux souvenirs – un témoignage fulgurant de réalité qui nous traverse comme l'éclair en notre présent par là consacré réel.

* * *

Tient-il à nous ce paysage qui nous tient dans ses plis où se verse sans fin l'étendue successive sous son écriture d'herbe? Ici l'immensité rejoint l'abandonnement et l'étendue des champs n'attend plus personne. Le ciel aborde en eux l'étendue de la terre dans la béance du temps. Eux-mêmes laissés être – ou délaissés? Les cultures y sont aussi régulières, aussi destinalement régulières que les douze mille tombes de la Malmaison – où aussi le vent passe. Elles y ont la couleur de la neutralité, l'indifférence du vert si stable à travers tous les verts que nous n'avions vraiment aucune chance de découvrir en leur accord cet idéal... de quoi? que nous cherchions par delà toute impression comme derrière chaque rouge, un autre rouge – et qui n'est jamais le vrai, sauf le sang. Cette nappe terrestre d'avoine et de betteraves, où le ciel s'abaisse au long de la futaie, appelle les distances à l'orée muette du bois, mais, après la lisière, ne répond plus la terre.

Pourtant l'espace tourne dans l'entonnoir du soleil et les lointains s'approchent et gagnent la bataille de la grande place vide dans l'inapprochable proximité d'un cri du monde au coin d'un bois entre deux guets.

Ce cri – l'ai-je entendu autrement que dressé sur des béquilles de mots dans l'immense étendue déserte? Même cette séquence de trois mots ouvre un horizon de complaisance. Dans cette onde verbale entretenue chacun perd par alliance son ouverture première illimitée. Etendue: au sens nu de l'espace qui s'étend en soi-même. Immense, sans mesure, à la démesure de mes lointains. Et il s'agit bien de désert, d'essentiel esseulement. Chaque terme est à vivre séparément dans l'absolu d'une image qui se lève en elle seule ouvrant le jour du monde. Et c'est parallèlement que les trois – séparés – sans préméditation se conjuguent.

Encore ce langage est-il moins clair que le mutisme du bois.

* * *

Me coulant dans les épines je gagnai la pente. Le sol était de lierre d'un bout à l'autre. Aux grottes de la mer l'ombre n'est pas plus dense quand fusa devant moi dans le lit d'un ravin une rivière de lumière verte – fleuve entre terre et ciel déchirant l'entre-deux ébloui de clarté hagarde. Où étais-je...? autrefois.

Où que le regard se porte, tout ici est local, absolument singulier, retrait en soi, sans mémoire – ou parole – ou silence: cette lumière, cette ombre, ce trou dans le calcaire. Toute comparaison serait mensonge, toute métaphore est traîtresse. Les creux dans la craie ne sont orbites ni cavernes. Seulement des trous comme ceux qu'habitent les bêtes. Creusés par des hasards non concertés, sans plus d'intention que l'eau qui coule le long des diaclases. Et tout est à sa place – sans échange – sans passage – sans regard ni sourire. Les lumières et les ombres, à part des choses qu'elles éclairent ou obscurcissent, restent prises en elles-mêmes, suspendues sans appel dans une fixité de raies spectrales.

★ ★ ★

J'ai retrouvé la grotte de l'aube de l'attaque – à laquelle on accède par un trou de terrier. L'ai-je reconnue plus qu'à moitié? à moitié de moi-même. Et la grotte du P.C., étayée d'un tronc d'arbre, était-elle donc si basse? Etait-ce bien celle-là? Sans doute, sans lieu, sans voisinage, évidente d'évidement. Comme autrefois. Un autrefois que je retrouve là où autrefois je ne me retrouvais pas. Car c'était ce désert, cette absence de monde, sans entours autour de moi.

Il n'y avait rien ni personne à partir de qui, là-bas, délégué de moi-même, je puisse prendre ici la parole qui m'eût nommé à moi. Je n'avais pas de là où habiter mes aîtres, pas de présence opaque à laquelle me heurter comme à l'écran concave d'où j'aurais pu recueillir ma voix ou mon silence.

Où étais-je? – Où je suis maintenant. A mon seul Ici... qui ne peut pas y être. Comment me serais-je retrouvé dans cette pénombre verte où j'essayais de me rejoindre à trente ans de profondeur passée? Cet écran trentenaire était aussi absent pour le moi d'aujourd'hui qu'il l'avait été mais pour qui? ...autrefois. Ayant perdu le sens de la concavité du monde – désormais tourné contre nous comme l'épée nue des perspectives où l'autre en nous-même étirant la distance s'enfuit de plus en plus vite à l'étranger...

... qui donc pourrait revenir à soi?

★ ★ ★

Les troncs d'arbres sortaient d'un sol qui n'était pas le mien, passant de l'indifférence du fond à celle des existences parallèles. A distance pure les uns des autres et de moi. Il n'y avait pas de proche. Il n'y avait pas de lointains. Je n'ai rencontré que des choses lentement occupées d'elles seules, ou abandonnées à la rouille, à la justice du temps; mais jamais l'éclair d'un regard de l'espace qui m'eût renvoyé mon écho précurseur.

Les arbres m'avaient-ils caché la forêt dans ce sous-bois d'affiche? Non. Il y avait partout cet éclairage obscur d'idée fixe en sa radiance égale, sans hasard, infiltrante. Du vert au vert le filigrane des lumières ne ménageait aucun passage entre un dehors et un dedans mais une identité à deux tons consonants entre le jour de tous et celui de personne.

N'espère pas découvrir sous cet amas de feuilles l'acte de ta naissance à quelque page écrite de la terre illettrée.

MELENCOLIA II

ou LE FANTASSIN À LA MORT

En hommage à Albert Dürer

Etait-ce si proche ? Il me semble être le même là-bas à cette distance d'aujourd'hui égale pourtant à celle où je suis maintenant, si loin ... de l'an 2000.

Ce n'est pas le temps que j'ai découvert, c'est le rien – le vide du temps impliqué dans la vie... ou plutôt: que la plénitude du temps impliqué dans la tension de l'existence devient brusquement néant dans la temporalité indifférente du temps expliqué, universel.

Le néant commence au temps expliqué lui-même dans lequel un locuteur déplie ma vie et qui jamais n'eut lieu... qu'en paroles, sémantiquement. Comment l'existant reposerait-il dans le cénotaphe du sens ? La réversibilité du sens loin d'être maîtrise du temps existential a pour unique fondement le système des rétentions court-circuité de ce qui le fonde, du présent en son jaillissement perpétuel. Ainsi en est-il dans la dépression. Le moi y cherche sa présence dans une représentation désespérée de soi. Nul ne peut s'expliquer avec sa possiblité d'être en la situant dans le temps expliqué. Où l'existence s'historise à travers un système d'époques (futur, passé, présent) qui s'origine à la parole d'un conteur. Il n'y a pas de schème général de l'existence qui puisse en intégrer l'*événement*.

La proximité, l'instance de la mort constitue une autre expérience. Cette instance est sans exception. Elle fait le ton mineur de tous les instants de la vie, avant tout de ma naissance. Chacun meurt tel qu'il est né. Mais les autres lui rappellent qu'il a été et surtout qu'«on ne peut pas être et avoir été» comme ils disent... Seulement ils se méprennent sur le sens de ce langage. Je ne suis pas en effet sur le même mode où j'ai été. Et c'est sur ce dernier mode que les autres me contraignent de penser d'abord, d'être ensuite, dans une réflexion où je transmue ma présence en représentation.

Si j'avais revu seul un autre lieu de ma vie, peut-être même celui-là, je n'aurais pas éprouvé cette mélancolie. Mais nous étions les contemporains d'un même passé historique; nous étions ensemble des témoins mutuels: que nous avions été ici autrefois autres. Témoins presque honteux sous le regard desquels s'effaçait tout à coup le sentiment de l'unique, de l'identité de chacun à travers tous les âges de la vie, de l'intransposable exception d'exister, de l'unique étonnement de naître et de mourir. Nous objectivant les uns dans les autres dans le temps de tous, celui de l'humanité indifférente aux hommes tout autant que la vie l'est aux vivants, nous nous expliquons l'existence des autres et surtout nous sentons la nôtre s'expliquer, sous leur regard, dans le temps universel du récit du monde. Tout discours rapporté par un autre devient récit de ce discours, dont aucun présent n'est plus l'origine. Mais ce temps de notre passé n'est pas — comme ils le croient — le passé de notre temps actuel. Il appartient à un passé absolu compris entre notre ipséité éternelle et notre différenciation ponctuelle en tensions de devenir.

La mélancolie suppose les autres mais ne les rejoint pas. La manie les enrôle dans la fuite des idées et les volatilise. Incapable de communiquer avec eux et avec soi dans les marges de l'espace et dans la profondeur du temps, le maniaque cherche sa délivrance en surface dans une suite de lancées superficielles qui, ne s'entretenant que de sa fuite, avec elle s'évaporent dans l'instantané. Ni le présent maniaque, ni le présent mélancolique n'ont d'horizon d'originarité. L'un n'a qu'un horizon de postériorité et l'autre d'antériorité. Mais la mélancolie sent le poids du fond. Schelling parle de la pesanteur primordiale, de la *Schwermut* qui fait le fond des choses. Au regard de l'existence ce fond est comme un néant. Mais l'est-il en lui-même?

J'interroge mon expérience du Rien tel que je l'ai éprouvé l'autre jour: en moi, dans les champs, dans le bois, dans les hommes. Dans les champs, cette terre qui n'était que de souvenir, terre faite de mémorable émergeant de l'Immémorial où sont tous les ancêtres: monolithe ou brouillard, où moi je ne suis pas et où je ne serai qu'à ne plus être.

Terre de cimetières, de croix de fonte ou de bois. Au fond, ce qui fait le sens de tout cela, c'est que la guerre avait fait de cette crête du chemin des Dames une ligne absolue et du temps que nous y passâmes un présent absolu – et que brusquement nous découvrons que ce n'était qu'un passage. Et ici, maintenant, c'est dans un autre espace et dans une faille du temps que nous envahit l'Etranger surgi d'un autre âge du monde depuis toujours passé. Ce passé de hautes erres, nu de tout aujourd'hui, cet âge d'avant monde, vierge des cimes du temps, le voilà le passé de la mélancolie.

Nous n'existons pas dans la mélancolie, nous assistons à nous sans y être. Notre présent et son avenir et son passé même y sont détenus dans un passé sans avenir et que ne peut porter que le présent d'un autre qui lui-même à son tour y sombrera.

La lumière inchangée, immuable, du bois dans cette clarté verte où tout est stase et distance, distance d'un arbre à l'autre et à moi, fixe tout dans une extériorité pure. Pourquoi ne puis-je faire de ce fragment d'étendue un espace habité où je sois là – aux choses dans l'éloignement du proche et la proximité des lointains? Parce que tout y est simultané dans l'éclairage égalitaire du sous-bois, comme dans l'indifférence omniprésente du ciel sur les terres du plateau. Quelle différence avec la montagne! Dans la montagne le jour est mobile comme l'aigle qui passe à l'instant de son ombre sur les pierres éternelles où la perpétuité du présent a son repos. Ici d'une guerre à l'autre, la végétation ouvre et ferme le cycle, portée par le vouloir d'un retour éternel qui lui-même repose sur l'éternel retour de ce vouloir. Le temps cyclique nous interdit toute existence à l'impossible, à l'avant de nous-mêmes hors tout. Dans cet espace sans lieu le temps est sans instant. Le présent n'y est qu'une limite du temps et non l'incidence à soi d'un avènement pur. Pas même le tremblement de la flamme d'une bougie rajeunissant le temps de son lent-à-mourir. Temps d'avance expliqué où se déroule le pli du monde et de l'histoire, étalé jusqu'au nul. Pas de rythme. Ici Dieu n'est pas né.

Touchons-nous là le fond où s'arasent nos vies ? Oui. Dans la mesure où ce n'est pas nous qui existons notre là. Il y a eu ici un point culminant duquel nous ne pouvions que redescendre. C'était celui d'une histoire et celui de notre jeunesse. D'une histoire puisque ce fut la nôtre et que nous y tenons sans qu'elle tienne à nous. Nous pourrions l'annuler en sautant à pieds joints dans le monde d'aujourd'hui. Mais nous sommes retenus dans la minorité de notre âge, exclus des milliards d'autres actuels de la terre, voués, faute d'oubli, à la déréliction. Autant vaudrait garder les tombes de la Malmaison, être là où le mort saisit le vif.

Ni lieu ni temps. L'espace occupe tous les lieux. L'espace annule tous les lieux. Il n'y a plus de place dans l'espace que pour l'espace. Où te mettras-tu spectateur? Où te mettras-tu si tu es spectateur comme l'est précisément le mélancolique? Tu te réfugieras dans la sphère, dans le bloc de pierre de la Mélancolie de Dürer, ou dans ce mur qui sépare en deux pour toujours cette cour d'école où il n'y eut jamais personne. Econome d'un cri.

★ ★ ★

    Dans la Mélancolie de Dürer, l'ange à la couronne de feuilles, de ses yeux fixes ne regarde rien. Derrière lui, sur le mur, les signes du temps fonctionnent à vide dans l'absence de monde. Sphère, polyèdre ou meule, outils et instruments, disjoints les uns des autres, sont des signes déserts : ils ont dessus la place leur sens laissé choir. C'est l'heure morte. Les deux foyers de la gravure sont le regard blanc de l'ange qui n'est ouvert à rien et le centre blanc du rayonnement noir qui bouche l'horizon et dont l'aube éteinte s'avance sur le monde. Dans la dépression mélancolique non seulement le lointain mais le proche ensemble disparaissent dans l'intraversable. Aboli l'indicatif du jour. Dürer pourtant en a consigné pour lui la date au bas d'un lavis exécuté à l'aube du 8 juin 1525, en s'éveillant (à demi) d'un rêve de fin de monde. Cette fois tout est envahi. La masse des eaux du ciel tombe en gouttes immenses, lentement, suspendues à soi, sur la terre nue qu'elles noient. Ni le ciel ni la terre ne sont proches ou lointains. Ils s'étendent en eux-mêmes, dans l'ébrasure de l'unique fenêtre du monde, seule aire du regard. Impossible de choisir ni sa vue ni sa voie. Nous sommes figés dans l'attente du déjà su. Si «le passé est su» et «l'avenir pressenti», comme le répète Schelling, ici tout est pressentiment du déjà-su-et-depuis-toujours-accompli. La fin du monde est une inversion du procès créateur. Le monde se résorbe dans l'indistinction première. Autrefois séparées pour la naissance du ciel, les eaux d'en haut et les eaux d'en bas à nouveau se confondent. Ciel et terre s'estompent dans la même lumière grise et retournent en deçà du commencement à l'infiniment probable rien. Le monde disparaissant apparaît comme une image dont l'accompli se verse en accompli, en un passé dont rien ne fut un jour. Voué au passé absolu qui, là où il règne seul, est le temps sans amer de la déréliction, comment le mélancolique aurait-il ouverture à soi?

Et moi? Suis-je autre chose qu'une image où se rêvent les combats et les jours? Dans le temps de personne, à moi-même étranger, je cherche pour un autrefois qui n'a pas d'aujourd'hui le présent d'un autre qui le portera... Cet autre que le mélancolique convoque dans sa plainte. Mais il n'est qu'un objet sans présence à soi réelle. Il n'y a pas dans la mélancolie de dépassement vers l'autre à être. Nul dépassement non plus dans le bois retrouvé du Chemin des Dames. Les troncs des arbres et leurs ombres composent une collection d'épures aussi clairement impénétrables qu'une assemblée de pierres milliaires. N'espère pas rencontrer ici l'inespérable: tous les possibles sont en place dans l'éternité muséale du bois.

Il faudrait pouvoir relever les distances selon la profondeur du temps. Le temps? Tension de l'événement endurant sa nouveauté ou décadence absolue de l'accompli s'enfonçant en soi-même dans l'absolu passé de la mélancolie? Le temps est devenu problème. Et la solution suicidaire du mélancolique s'explique: elle s'accorde à la rétrocession du monde. Pour s'arracher au passé absolu qu'il endure, il lui faudrait déserter son désert. Exister dans le hors, hors de soi, hors d'attente. Mais il est attaché à son néant étant et il en remet la charge au destin dont la négativité universelle résorbe en elle l'absence à soi de l'esprit disparu. Son ultime et seule action est de rejoindre un passé qui ne fait acception de personne, en revenant par involution au sein prénatal, à la matrice anonyme, à la terre, à l'Océan d'où l'on était sorti vers un sol trop ferme. Finir dans l'incommencé...

Dans le vent d'une porte qui claque tous les autres sont passés: la salle est vide ou remplie de paroles gelées... comme le monde. Le monde dont l'affairement et le bavardage coagulent partout l'existence. Pleine d'elle-même, narcissique jusqu'en son *agonie*, l'Epoque, comme nous disons sur l'estrade de l'histoire, nous sépare de l'autre en nous, comme une foule qui nous presse et nous empêche de rejoindre celui que nous poursuivons parce qu'il détient notre âme.

Soleil noir de la mélancolie, c'est toi qui éclairais les bois de Chevregny où la lumière décante entre des murs de lierre lisse. Où chaque souffle arrêté ébruitant mon silence me signifie: *«Te voilà à la même place où rien n'a lieu, où tout se succède et te succèdera et de toujours déjà t'a succédé»*. Parole à sec. Comme dans le froid. Pas d'écho. Sans là ni là-bas, ici n'a pas lieu d'être. Il est l'image de tous les points du cyle, inassignable à lui-même dans le carrousel du monde et des pensées, dans le grand manège universel dont je ne suis qu'un tour (de passe-passe peut-être). *«La fin du spectacle. Dans un bruit de chaises renversées, les uns entrent les autres sortent. Et bientôt il te faudra passer dans la nuit.»*

Qui parle ici? Cette dernière phrase n'est pas d'aujourd'hui. Elle subsiste d'un texte oublié qui m'attendait à la page suivante du cahier où j'écris et que je viens de rejoindre, apparemment par hasard, en tout cas sans souvenir. Mais comme dit la suite: *ce monde est trop petit pour se souvenir de tous, donc de* toi (...) et d'une petite maison semblable à toutes les autres de Blankenberghe, un vieil homme regarde le mur de son jardin et trace quelques traits sur une toile. Il sait qu'il mourra et déjà, dit-il, il dort. C'est sa mort qui s'inscrit elle-même dans ces lignes – éternelles – mais c'est la sienne, et rien ne le remplacera...

Multipliez-vous! foules. Multipliez-vous! générations. Annulez chacune de celles qui vous précèdent! Multipliez les éons! Dépassez les galaxies! Nulle part, personne n'aura jamais tracé un trait pareil à celui-là, qui jaillit d'exister au péril de l'être et de l'être en péril dans le fond sans fond. Irremplaçable dans l'illimitation du tout ou du rien. Car ici c'est nulle part. Et si... rien, le Rien sera passé à côté de ce qui aurait pu l'être.

... Entre des arbres, sans personne, mais pour elle, et pour ceux qui depuis toujours étaient ses fils...

Entre les arbres, c'était déjà la Germanie. Semblable, dit Hölderlin, à *la mère sacrée de toutes choses*, la Nature, *jadis appelée la secrète.*

D'elle ils étaient les fils les chasseurs sans visage qui s'avançaient sur nous. Annonçaient-ils la nuit *où se mêlent toutes choses, où reprend son empire, l'antique confusion originelle?*

Mais quand parle un poète les mots sont fils de son silence. Ce silence est de lui, non de la nuit muette. Que rentre dans le sein celui qui en est né! Et non pas celui-là qui est né de lui-même et du Rien, dans une seconde naissance.

★ ★ ★

Entre les arbres... C'est un autre qui s'avance dans cette gravure de Dürer qui me rappelle à moi: le chevalier à la mort. Il ne daigne pas voir le sablier dont le sable s'écoule ailleurs qu'en son présent. Présent à l'impossible qui s'ouvre à l'avancée de soi, en soi plus avant. Enigme pour qui ne sait que calculer son compte. *Enigme ce qui naît d'un jaillissement pur et par le chant lui-même à peine dévoilé* – mais tenu dans un cri. Un cri qui ne crie rien ni douleur, ni joie, ni colère, ni désir: l'absolu cri d'appel.

L'appel pur, celui qui n'emporte rien avec soi, ne peut être lancé qu'en enfant perdu, perdu à tout l'étant, quand la trame du monde se déchire... et plus rien n'est en vue, même l'entre-ciel et terre. Il appelle à venir.

Et il appelle là-bas. « Appelant à venir, dit Heidegger, l'appel a déjà fait appel à ce qu'il appelle. Dans quelle direction ? Au loin ; là où séjourne en son absence l'appelé ».

Absent...oui ! Mais non pas lointain non plus que proche. L'absent n'a pas de lieu où puisse aller l'appel qui justement appelle à la naissance du lieu.

L'absent est appelé à venir, non pas à venir s'installer ici au milieu des choses, mais à être et à être le lieu de son absence. Car le *où* et le *quoi* de l'appel ne sont qu'un. Pas besoin de l'apprendre. Quand un cri d'appel tout à coup nous atteint il fait le vide en nous. Il est partout ailleurs et ailleurs c'est ici. Il appelle dans le vide et il appelle le vide... à ménager un site où il puisse *y avoir*, y compris l'appelant. Celui-ci en effet s'origine à l'appel. A un appel sans appui qui ne prend son départ de rien dans le monde mais s'ouvre dans la faille, dans le blanc, où le convoi des effets et des causes n'aura jamais rejoint. Hors la loi du positif l'appel est le *là* de l'ouvert.

Serais-je un signe local dans l'ensemble de l'étant, il reste ceci dont l'étant ne peut rendre compte: que j'ai ouverture à lui... et à moi. Il est trop plein de lui-même pour admettre en lui cette imperfection, cette déchirure?... non: le jour de la déchirure dans lequel tout à coup il s'apparaît.

Tout à coup se défait l'unique image du monde qui liait les dormants sur ce lit de rumeurs où se retourne le silence: un événement surgit. A lui-même. De rien... Il a lieu et lieu d'être – manifesté en lui-même dans l'éclaircie du Rien.

Mais il y faut cette faille, ce vide sans défaut qui s'ouvre avec l'appel. Chaque vide livre son ciel où tout ce qui prétend le conte nir est en suspens. L'appel au vide ne veut rien. Traversant le néant étant de la mélancolie et l'étant nul du nihilisme, l'existence est une exclamation dans le vide éclaté. Dans l'ouvert nous pouvons contempler son accès. C'est dans le Rien que nous pouvons contempler son secret.

Entre les arbres... autrefois elle s'infléchissait vers la terre, soumise à sa courbure, comme un point d'interrogation qui va se refermer sur soi, mais en moi ouverte et m'ouvrant à moi-même restait cette question, seule en ascension droite dans l'infaillible faille: destiné à moi par le jeu du monde ou me destinant sans destin?

Table

LE CHEMIN DES DAMES 9

Juin 1940 11
5 et 6 Juin 15
Retraite 21
7 Juin 1970 23

MELENCOLIA II 41

DU MÊME AUTEUR

REGARD, PAROLE, ESPACE (Éditions L'Age d'Homme, Lausanne, 1973)

LE LEGS DES CHOSES DANS L'OEUVRE DE FRANCIS PONGE (Éditions L'Age d'Homme, Lausanne, 1974)

AÎTRES DE LA LANGUE ET DEMEURES DE LA PENSÉE (Éditions L'Age d'Homme, Lausanne, 1975)

ART ET EXISTENCE (Éditions Klincksieck, Collection d'Esthétique, Paris, 1985)

Le présent ouvrage
a été composé en caractères
Nicolas Cochin, romain & italique,
et réalisé par les Éditions Comp'Act
en leur atelier de Seyssel (Ain).
Ce livre a été achevé d'imprimer
par l'imprimerie Chevallier
à La Roche-sur-Foron (Hte-Savoie)
au mois de février 1988.

ÉDITION ORIGINALE

Dépôt légal : Premier trimestre 1988.
ISBN 2-87661-012-4